So schön ist
Regensburg

Sachbuchverlag Karin Mader

Fotos:
Jost Schilgen

Titel rechts unten und Seite 70:
Fritz Mader

Text:
Martina Wengierek

© Sachbuchverlag Karin Mader
D-28879 Grasberg

Grasberg 1995

Übersetzungen:
Englisch: Michael Meadows
Französisch: Mireille Patel
Italienisch: Maria Angela Meraviglia

Printed in Germany

ISBN 3-921957-74-5

Die bayerische Stadt Regensburg, an der Mündung von Regen und Naab in die Donau gelegen, gehört zweifellos zu den Wundern der Geschichte. Denn sie hat als einzige gotische Großstadt Deutschlands ihr mittelalterliches Gesicht fast unversehrt behalten.

Der Umstand, daß sie im 19. Jahrhundert keinen allzu stürmischen Anschluß an die allgemeine Industrialisierung fand, erwies sich im Nachhinein als Glücksfall. So blieben die spannenden Spuren ihres Weges vom Römerkastell zur blühenden Handels- und Bischofsstadt, zum stolzen Fürstensitz und Tagungsort des „Immerwährenden Reichstages" in seltener Eintracht erhalten. Die Moderne muß sich deshalb hier und da mit einer Bannmeile zufrieden geben: Industrie ist heute hauptsächlich im Hafenviertel abseits der Altstadt angesiedelt, und auch beim Bau der Universität in den 60er Jahren wich man vor die Tore aus. Doch Regensburg zehrt nicht nur von seinem Ruf aus dem Verlauf von fast 2000 Jahren Geschichte. Wichtige Impulse für die Neuzeit gingen von hier aus, die bis heute nachwirken. So steht das prominente Fürstenhaus der Thurn und Taxis, das seit Beginn des 19. Jahrhunderts in Regensburg residiert, für die Begründung des modernen Postwesens in Europa.

The Bavarian city of Regensburg, located where the Regen and Naab Rivers flow into the Danube, is undoubtedly one of history's wonders. It is the only Gothic big city in Germany to have retained its medieval face with hardly a blemish.

The fact that it was not subject to rapid industrialization during the 19th century turned out to be beneficial in retrospect. Thus the impressive traces of its development from a Roman fort to a prosperous trade and diocesan town, to a proud royal seat and meeting place of the so-called "Immerwährender Reichstag" ("Everlasting Reichstag") were preserved in a rare harmony. The modern age must therefore accept inviolable precincts here and there: today industry is, for the most part, located in the harbor section, away from the Old Town, and even construction of the university took place on the periphery. However, Regensburg not only lives from its reputation based on almost 2000 years of history. Important impulses for contemporary times that have an influence even now were initiated here. The prominent royal house of Thurn und Taxis, for example, which has resided in Regensburg since the beginning of the 19th century, stands for the founding of the modern postal system in Europe.

La ville bavaroise de Ratisbonne, située au confluent de la Regen, de la Naab et du Danube est, sans aucun doute, l'une des merveilles que nous a léguées le passé. En effet, c'est la seule grande ville gothique d'Allemagne dont la physionomie médiévale soit encore pratiquement intacte. Le fait qu'elle se tint quelque peu à l'écart dans la course généralisée à l'industrialisation du 19e siècle se révéla être un coup de chance. Ainsi les témoins si captivants de son passé, du temps où elle était un fort romain puis une ville commerçante et un siège épiscopal florissant, une résidence princière et le siège de la «Diète perpétuelle», ont subsisté, formant un ensemble d'une rare harmonie. Le modernisme a donc dû se contenter de certains espaces restreints: l'industrie est surtout concentrée dans le quartier du port, loin de la vieille ville. Quant à l'université, construite dans les années soixante, elle fut reléguée aux portes de la ville. Pourtant Ratisbonne ne vit pas seulement de la gloire qu'elle tire de son passé, vieux de près de 2000 ans, elle donna des impulsions très importantes pour les temps modernes et leurs effets se font encore sentir aujourd'hui. Ainsi l'on doit à l'éminente famille princière de Tour et Taxis qui réside à Ratisbonne depuis le 19e siècle, la création du système postal moderne européen.

La città di Ratisbona, situata in Baviera alla confluenza del Regen e del Naab nel Danubio, è indubbiamente una delle meraviglie della storia. È l'unica grande città gotica della Germania ad aver mantenuto quasi inalterato il proprio aspetto medioevale.

La mancanza di un contatto eccessivamente impetuoso con la generale industrializzazione del 19° secolo, si è dimostrata successivamente una fortuna. Le tracce appassionanti del cammino che l'hanno portata da castello romano a fiorente città commerciale e sede vescovile, a orgogliosa sede principesca e luogo di riunione dell'"Immerwährender Reichstag", la Dieta permanente dell'Impero, si sono conservate con una rara armonia. Il moderno si deve quindi accontentare qua e là di una zona di riserva: l'industria si è oggi insediata soprattutto nel quartiere del porto, lontano dal centro storico, e anche per l'erezione dell'università negli anni Sessanta si è ceduto il passo alle porte. Ratisbona, tuttavia, non vive solo della sua fama che le deriva da circa 2000 anni di storia. Da qui sono partiti anche importanti impulsi per l'epoca moderna, impulsi che ancora oggi sono percettibili. La sede dell'insigne dinastia del Thurn und Taxis, che ha la propria residenza a Ratisbona dagli inizi del 19° secolo, rappresenta la fondazione del sistema postale moderno in Europa.

Rund um die Altstadt

Zum Eindrucksvollsten gehört die Altstadt-Silhouette Regensburgs, die sich zur Donau hin einzigartig erhalten hat. Weithin sichtbar erheben sich die 105 Meter hohen Türme von St. Peter, umgeben von Türmen, Plätzen, Häusern und Gassen, die wie kaum eine andere in Deutschland die Geschichte des deutschen Mittelalters erzählen.

La silhouette de la vieille ville de Ratisbonne qui, du côté du Danube, est remarquablement bien conservée, est des plus impressionnantes. Visibles de loin les clochers de St. Peter, hauts de 105 mètres, sont entourés de tours, de places, de maisons et de ruelles qui racontent l'histoire du Moyen Age allemand, comme peu d'autres villes en Allemagne.

Regensburg's Old Town skyline, unique in the intact section towards the Danube, is considered to be one of the most impressive anywhere. Visible from afar, the 105-meter-high towers of St. Peter stand out, surrounded by towers, squares, houses and lanes that tell the history of the Middle Ages in Germany like no others.

Molto impressionante è il profilo del centro storico di Ratisbona, che si è conservato in modo eccezionale fino al Danubio. Visibili in lontananza si elevano le torri di San Pietro, alte 105 metri, circondate da altre torri, piazze, case e viuzze, che raccontano la storia del Medioevo come nessun'altra città tedesca.

Das älteste Exemplar Deutschlands, aber noch voll funktionsfähig: Seit über 800 Jahren überspannt die Steinerne Brücke die Donau. Schon im Mittelalter galt sie als Beispiel romanischer Ingenieurkunst in Vollendung. Mit ihren 16 zur Mitte ansteigenden Quaderbögen galt sie nach der Fertigstellung 1145 als achtes Weltwunder.

Le plus vieil exemplaire d'Allemagne et toujours en parfait état: le Steinerne Brücke sur le Danube a plus de 800 ans. Déjà au Moyen Age il était considéré comme un exemple du savoir faire des bâtisseurs romans à son meilleur. Avec ses 16 arches de pierre devenant plus grandes vers le milieu, il fut considéré à son achèvement, en 1145, comme la huitième merveille du monde.

The oldest one in Germany, but still fully functional: the Stone Bridge has spanned the Danube for over 800 years. Even during the Middle Ages it was considered to be an example of Romanesque engineering to perfection. With its 16 square stone block arches rising towards the middle it was regarded as the eighth wonder of the world after its completion in 1145.

L'esemplare più antico della Germania, tuttora comple-tamente funzionale: da oltre 800 anni la Steinerne Brücke si stende sopra il Danubio. Già nel Medioevo questo ponte era considerato una meraviglia dell'ingegneria romanica nel pieno della propria perfezione. Con i suoi 16 archi in pietra ascendenti verso il centro, una volta completato nel 1145 è diventato l'ottava meraviglia del mondo.

Über die Steinerne Brücke erreicht man den Stadtteil Stadtamhof mit seiner Ladenzeile, dem sogenannten Brückenbazar, den es seit 1820 gibt. Auf der Stadtseite der Brücke (rechts) erhebt sich der letzte erhaltene von drei Brückentürmen. Der mächtige Salzstadel erinnert an jene Zeit, als der Fernhandel über die Donau Regensburg zur blühenden Handelsmetropole machte.

Par le Steinerne Brücke on parvient au quartier de Stadtamhof avec sa rangée de magasins – appelée Brückenbazar – qui existe depuis 1820. A l'extrémité du pont qui rejoint la ville (à droite) s'élève la dernière des trois tours qui ait survécu. Le puissant grenier à sel rappelle le temps où le commerce sur le Danube avait fait de Ratisbonne une florissante métropole du commerce.

By crossing the Stone Bridge, you can reach the town district of Stadtamhof with its row of shops, the so-called Bridge Bazaar, which has existed since 1820. On the city side of the bridge (right) stands the last intact bridge tower of the original three. The mighty salt storehouse reminds one of the era when long-distance trading via the Danube made Regensburg a prosperous trading metropolis.

Attraversando la Steinerne Brücke si arriva nel sobborgo Stadtamhof con la sua cellula commerciale, il cosiddetto "Bazaar del ponte", esistente dal 1820. Sul lato del ponte rivolto verso la città (lato destro) si erge l'ultima delle tre torri del ponte, l'unica conservata fino a oggi. L'ultimo e imponente magazzino del sale ricorda il tempo in cui il commercio a distanza, grazie al Danubio, fece di Ratisbona una fiorente metropoli commerciale.

Neben der steilen Rückfront des Salzstadels wartet die älteste Wurstküche der Welt auf den hungrigen Stadtbummler. Hier sollen bereits die Bauleute der Steinbrücke verpflegt worden sein. Ein Beispiel für modernes Wohnen hinter geschichtsträchtigen Fassaden ist der Fechthof hinter dem Rathaus.

A côté de l'abrupte façade arrière du grenier à sel, la plus vieille rôtisserie de saucisses du monde attend les promeneurs affamés. Les travailleurs affectés à la construction du pont s'y seraient déjà restaurés. Un exemple d'habitat moderne derrière les façades chargées d'histoire: le Fechthof derrière è hôtel de ville.

Next to the steep rear facade of the salt storehouse the oldest sausage kitchen in the world awaits hungry people strolling through the city. The workers who built the Stone Bridge are supposed to have received their meals here. Fechthof, behind the Town Hall, is an example of modern living behind historical facades.

Accanto al ripido lato posteriore del magazzino del sale, la più antica cucina di salsicce del mondo attende il visitatore affamato. Qui pare che si siano ristorati anche i costruttori del ponte. Un esempio di residenza moderna dietro le facciate ricche di storia il Fechthof dietro il Rathaus.

In mehreren Bauphasen zwischen dem 13. und 18. Jahrhundert entstand das Rathaus. Es ist eines der ältesten und zugleich schönsten Süddeutschlands. Unter dem Dach des gotischen Turms (rechts) wohnte einst der Stadtwächter in einer Stube mit Ausgucköffnungen in alle Himmelsrichtungen. Im ersten Stock des Reichssaalbaus (oben) wurde deutsche Geschichte geschrieben.

L'hôtel de ville fut construit en plusieurs phases entre le 13 et le 18e siècle. C'est l'un des plus vieux et des plus beaux d'Allemagne du Sud. Sous le toit de la tour gothique (à droite) habitait jadis le gardien de la ville dans une pièce dotée d'ouvertures de guet dans toutes les directions. Le premier étage du Reichssaalbau (ci-dessus) joua un rôle capital dans l'histoire allemande.

The Town Hall, one of the oldest and loveliest in southern Germany, was built in several construction phases between the 13th and 18th centuries. Once the town watchman lived in a room with lookout openings in all four directions under the roof of the Gothic tower (right). German history was written on the first floor of this edifice containing the Reichssaal (above).

In vari stadi costruttivi, tra il 13° e il 18° secolo, è sorto il Rathaus, il palazzo municipale, uno dei più antichi e nel contempo più belli della Germania meridionale. Sotto il tetto della torre gotica (a destra), il guardiano della città abitava in una stanza con aperture di osservazione rivolte verso tutti i punti cardinali. Al primo piano del Reichssaal (sopra) si è scritta la storia tedesca.

Im 15 mal 22,5 Meter großen Reichssaal tagte seit 1663 das erste deutsche Parlament, der Immerwährende Reichstag. Besonders schwierige Entscheidungen fällten die Delegierten in einem Nebenraum an einen grünen Tisch, der tatsächlich (nicht nur sprichwörtlich) grün ist und dort heute noch steht. Rechts das Denkmal des Kriegshelden Don Juan d'Austria – Sohn aus der kurzen, aber heftigen Affäre Kaiser Karls V. und der Regensburger Bürgerstochter Barbara Blomberg. Er besiegte die Türken in der Seeschlacht von Lepanto.

Dans la Reichssaal (salle impériale), grande de 15 fois 22,5 mètres, siégea, à partir de 1663, le premier parlement allemand: la Diète perpétuelle. Les décisions particulièrement difficiles étaient prises par les délégués dans une pièce voisine, à une table verte qui était vraiment (et pas seulement proverbialement) verte et qui s'y trouve encore. A droite, le monument au héros militaire Don Juan d'Autriche – né d'une courte mais tumultueuse liaison entre l'empereur Charles Quint et Barbara Blomberg, fille de bourgeois de Ratisbonne. Il vainquit les Turcs à la bataille navale de Lépante.

Beginning in 1663 the first German parliament, the "Immerwährender Reichstag", held session in the Reichssaal, measuring 15 by 22.5 meters. The delegates made particularly difficult decisions at a green table in an adjoining room, which is actually (and not only proverbially) green and still stands there. To the right the monument in memory of the war hero Don Juan d'Austria – a son born out of the brief but intense affair between Kaiser Karl V and the daughter of bourgeois parents in Regensburg, Barbara Blomberg. He was victorious against the Turks in the sea battle of Lepanto.

Nel grandissimo Reichssaal, che misura 15 metri per 22 e mezzo, si riuniva dal 1663 il primo parlamento tedesco, l'"Immerwährender Reichstag". I delegati, in una stanza attigua, devono aver preso decisioni particolarmente difficili intorno a un tavolo verde, tavolo realmente dal colore verde (non solo in senso proverbiale) che ancora oggi può essere ammirato. A destra il monumento dell'eroe Don Juan d'Austria, figlio della breve ma intensa relazione amorosa tra l'imperatore Carlo V e Barbara Blomberg, figlia di una famiglia borghese di Ratisbona. Egli sconfisse i turchi nel combattimento navale di Lepanto.

Der Haidplatz, früher Arena für Ritterturniere, ist der größte mittelalterliche Platz der Stadt (oben). Das Thon-Dittmer-Palais ist heute Adresse der Volkshochschule. Im Sommer wird sein Innenhof zur Freilichtbühne. Im Hintergrund der Turm der Neuen Waag, wo Eck und Melanchton 1541 über Religionsfragen stritten. Wer damals etwas auf sich hielt, stieg im „Goldenen Kreuz" mit dem siebenstöckigen Turm ab (rechts) – vom 16. bis zum 19. Jahrhundert die vornehmste Herberge am Ort. Hier fand auch das folgenreiche Rendezvous Karls V. mit Barbara Blomberg statt.

La Haidplatz, ancienne arène de tournois, est la plus grande place médiévale de la ville (ci-dessus). Le palais Thon-Dittmer accueille aujourd'hui l'université populaire. En été sa cour intérieure sert de scène en plein air. A l'arrière plan, la tour de Neue Waag où Eck et Melanchton débattirent de questions religieuses. Toute personne de bien se devait de descendre jadis à la «Goldenen Kreuz» avec sa tour de sept étages (à droite) – du 16 au 19e siècle, l'auberge la plus distinguée de la ville. C'est ici qu'eut lieu le rendez-vous si riche de conséquences entre Charles Quint et Barbara Blomberg.

Haidplatz, formerly an arena for tournaments of knights, is the city's largest medieval square (above). Today the Thon-Dittmer Palace is the domicile of the adult education center. In the summer its courtyard is turned into an open-air stage. In the background of the tower the Neue Waag, where Eck and Melanchton disputed over religious questions in 1541. Those who thought they were somebody at that time stayed at the "Goldenes Kreuz" with its seven-storey tower (right) – from the 16th to the 19th century it was the poshest inn in town. The momentous rendez-vous between Karl V and Barbara Blomberg also took place here.

La Haidplatz, ex arena per tornei cavallereschi, è la più grande piazza medioevale della città (sopra). Il Thon-Dittmer-Palais è oggi il recapito dell'università popolare. D'estate il cortile interno si trasforma in teatro all'aperto. Sullo sfondo la torre della Neue Waag dove, nel 1541, Eck e Melanchton disputarono di questioni religiose. Chi ci teneva alla propria persona, prendeva alloggio nella "Goldenes Kreuz" con la sua torre a sette piani (a destra), la locanda più accogliente dal 16° al 19° secolo. Qui avvenne anche l'incontro, gravido di conseguenze, tra Carlo V e Barbara Blomberg.

Mit barocker Architektur wartet der Bismarckplatz auf: Oben das schmucke Erbprinzenpalais, erbaut 1701 vom Kloster Prüfening als Stadtpalais, 1799-1805 französische Gesandtschaft und seit 1862 im Besitz der Thurn und Taxis. Das Innere ist vollständig aus der Zeit der Erbauung erhalten. Daneben die ehemalige württembergische Gesandtschaft mit ihrer reichen Stuckfassade.

Sur la Bismarckplatz nous trouvons des édifices baroques: ci-dessus, le coquet Erbprinzenpalais, construit en 1701 par le monastère de Prüfening pour servir de résidence en ville. Il servit de légation française de 1799 à 1805 et appartient à la famille de Tour et Taxis depuis 1862. L'intérieur est encore tel qu'il était à sa construction. A côté, l'ancienne légation de Württemberg avec sa façade richement ornée de stucs.

Bismarckplatz displays baroque architecture: above the tasteful Palace of the Heir to the Throne, built by Prüfening Monastery as a town palace in 1701, used as the French Embassy from 1799-1805 and in the possession of Thurn und Taxis since 1862. The interior has remained completely intact since the time of its construction. Next to it, the former Württemberg Embassy with its lavishly decorated stucco facade.

Con la sua architettura barocca ecco la Bismarckplatz: in alto, il grazioso palazzo dei principi ereditari, eretto nel 1701 da Kloster Prüfening come palazzo cittadino; dal 1799 al 1805 divenne legazione francese e dal 1862 passò nella proprietà dei Thurn und Taxis. L'interno è mantenuto completamente inalterato dall'epoca della costruzione. Accanto l'ex legazione di Vurtemberga con la sua ricca facciata.

Im Norden des Bismarckplatzes logiert seit 1804 das Stadttheater. Mit einem Konzertsaal, Klubräumen und Café ist es ein frühes Beispiel klassizistischer Gesellschaftshäuser. 1849 nach einem Brand weitgehend zerstört wurde es 1852 wieder aufgebaut.

Le théâtre Municipal, au nord de la Bismarckplatz, date de 1804. Il comprend une salle de concerts, une salle de réunions et un café. C'est un exemple précoce de maison dédiée aux activités sociales. Il fut en grande partie détruit par un incendie en 1849 et reconstruit en 1852.

The Municipal Theater has been located at the north end of Bismarckplatz since 1804. With a concert hall, club rooms and café it is an early example of a classicist edifice for social activities. Extensively destroyed after a fire in 1849, it was rebuilt in 1852.

A nord della Birmarckplatz si trova, dal 1804, il teatro cittadino. Con una sala concerti, sale per associazioni e bar, è un primo esempio di casa mondana classicistica. Largamente distrutto in seguito a un incendio nel 1849, fu ricostruito nel 1852.

Seit 1902 gehört sie zum Stadtbild und damit das so bleibt, wurde sie 1976 unter Denkmalschutz gestellt: Die Sternwarte am Ägidienplatz. Ein eigens für sie gegründeter Verein kümmert sich heute um das 1902 gebaute Observatorium, das seit 1920 der Öffentlichkeit zugänglich ist. Kostenlose Besichtigungen sind immer freitags möglich.

Il fait partie de la physionomie de la ville depuis 1902 et a été clacé monument historique en 1976: l'observatoire de l'Ägidienplatz. Une association créée spécialement à cette fin s'occupe de l'Observatorium construit en 1902. Il est ouvert au public depuis 1920. Le vendredi, les visites sont gratuites.

It has formed part of the town panorama since 1902 and to keep it that way, it was classified as a historical monument: the observatory at Ägidienplatz. It is now taken care of by a society founded expressly for this purpose. It has been open to the public since 1920 and tours free of charge are always possible on Fridays.

Dal 1902 fa parte della fisionomia della città e perché resti tale, nel 1976 è stato sottoposto alla tutela della protezione dei monumenti: l'osservatorio astronomico sulla Ägidienplatz. Una associazione appositamente fondata si occupa oggi dell'osservatorio costruito nel 1902, aperto al pubblico dal 1920. Visite gratuite sempre ammesse di venerdì.

Eines der ältesten Patrizierhäuser Regensburgs ist heute Haus der Begegnung der Universität mit Vortragsräumen und Lokalen: das Gravenreuther-Haus in der Straße Hinter der Grieb (oben). Eine Besonderheit im Stadtbild sind die Geschlechtertürme, die reiche Kaufleute nach italienischem Vorbild errichten ließen. 20 von etwa 40 sind noch erhalten. Zwei Prachtexemplare findet man in der Wahlenstraße: der klotzige Kastenmayer-Turm und der Goldene Turm, mit seinen 42 Metern Höhe Spitzenreiter.

La Gravenreuther-Haus dans la rue Hinter der Grieb (ci-dessus): l'une des plus vieilles demeures patriciennes de Ratisbonne est aujourd'hui maison des étudiants de l'université. Elle comprend des salles de conférences, des lieux de rencontre et de restauration. L'une des particularités de la physionomie de la ville sont les tours que les riches marchands firent construire à la mode italienne. Des quelques 40 tours qui se dressaient jadis, 20 existent toujours. Deux magnifiques exemplaires se trouvent dans la Wahlenstraße: la tour Kastenmayer trapue et la tour Dorée avec sa flèche haute de 42 mètres.

One of the oldest patrician houses in Regensburg is today a place of encounter at the university with lecture rooms and where food and drink is available: the Gravenreuther-Haus in the street Hinter der Grieb (above). Towers that rich merchants had built according to Italian models form a special feature of the city's skyline. 20 of the roughly 40 originals are still intact. Two magnificent examples can be found in Wahlenstrasse: the massive Kastenmayer Tower and the Golden Tower, with its 42-meter-high pointed roof turret.

Una delle più antiche case patrizie di Ratisbona è oggi luogo d'incontro dell'università, con locali e stanze adibiti alle varie esposizioni: la Gravenreutherhaus sulla via Hinter der Grieb (in alto). Una particolarità nella fisionomia cittadina è rappresentata dalle torri aristocratiche, fatte costruire dalle famiglie nobili secondo il modello italiano. Ne esistono ancora 20 delle circa 40 allora erette. Due ottimi esemplari sono visibili sulla Wahlenstraße: la massiccia Kastenmayer-Turm e la Goldener Turm, la torre d'oro con i suoi 42 metri di altezza.

Er ist der höchste der Patriziertürme Regensburgs: der Goldene Turm aus dem 13. Jahrhundert aus der Frosch-perspektive. Wegen seiner reich gegliederten Fassade vielleicht der schönste ist der Baumburger Turm am Watmarkt. Wie einige andere Türme und Häuser in Regensburg zeigt er im ersten Obergeschoß eine sonst eher ungewöhnliche Loggia-Öffnung.

C'est la plus haute tour patricienne de Ratisbonne: la tour Dorée du 13e siècle, vue d'en bas. La tour Baumburger sur le Watmarkt est peut-être la plus belle à cause de sa façade richement agencée. Au premier étage elle présente une loge assez curieuse comme d'autres tours et maisons de Ratisbonne d'ailleurs.

It is the highest patrician tower in Regensburg: a frog's-eye view of the Golden Tower dating from the 13th century. The Baumburger Tower at Watmarkt is perhaps the most beautiful because of its richly structured facade. As in the case of other towers and houses in Regensburg, it has an otherwise unusual loggia opening on the first floor.

La più alta delle torri aristocratiche di Ratisbona, la torre d'oro del 13° secolo, vista dal basso. Con la sua facciata riccamente articolata, forse la più bella è la Baumburger Turm sul Watmarkt. Come alcune torri e case di Ratisbona, al primo piano mostra una apertura a loggia, precedentemente insolita.

An den Neupfarrmarkt grenzte früher das jüdische Viertel der Stadt. Im 16. Jahrhundert wurden die Juden vertrieben und ihr Ghetto völlig zerstört. Wo die Synagoge stand, errichtete man 1521 die Neupfarrkirche – die erste protestantische Kirche Regensburgs und die einzige auf einem Platz freistehende Kirche der Stadt.

Jadis le quartier juif de la ville était délimité par le Neupfarrmarkt. Les juifs furent chassés au 16e siècle et leur ghetto totalement détruit. A l'emplacement de la synagogue l'on construisit en 1521 la Neupfarrkirche – première église protestante de Ratisbonne et la seule qui soit détachée, sur une place.

The Jewish quarter of the city used to border on Neupfarrmarkt. In the 16th century the Jews were driven out and their ghetto completely destroyed. In 1521 Neupfarrkirche, the first Protestant church and the only one standing alone at a square in Regensburg, was built at the site where the synagogue once stood.

Il Neupfarrmarkt confinava prima con il quartiere ebreo della città. Nel 16° secolo gli ebrei furono scacciati e il loro ghetto fu completamente distrutto. Dove sorgeva la sinagoga fu costruita, nel 1521, la Neupfarrkirche, la prima chiesa protestante di Ratisbona e l'unica chiesa libera sorgente su una piazza cittadina.

Dem monumentalen Wandbild der Nordfassade verdankt das Goliathhaus seinen Namen. Es schmückt den mächtigen Sitz einer Regensburger Kaufmannsfamilie seit etwa 1570. Das Melchior Bocksberger zugeschriebene Fresko wurde im Laufe der Jahrhunderte mit teilweise erheblichen Veränderungen mehrfach restauriert.

La Goliathhaus doit son nom à la peinture monumentale qui orne la façade nord de cette imposante demeure d'une famille de marchands de Ratisbonne. Cette fresque qui date de 1570 est attribuée à Melchior Bocksberger et fut restaurée plusieurs fois au cours des siècles de sorte qu'elle fut considérablement modifiée.

The Goliathhaus received its name from the monumental mural on the north facade. It has adorned the mighty seat of a Regensburg merchant family since about 1570. The fresco, attributed to Melchior Bocksberger, was restored several times in the course of the centuries, sometimes resulting in major changes.

La Goliathhaus deve il proprio nome al monumentale dipinto murale della facciata settentrionale. Esso adorna la possente sede di una famiglia di commercianti di Ratisbona sin dal 1570 circa. L'affresco, attribuito a Melchior Bocksberger, fu restaurato più volte, con notevoli modifiche, nel corso dei secoli.

Biblisch geht es auch nebenan in der Straße „Unter den Schwibbögen" zu: Dort ziert ein schmiedeisener Wal, der gerade den Propheten Jonas verschlingt, den Eingang des Wirtshauses „Zum Walfisch", das seit dem 16. Jahrhundert existiert. Die Straße ist nach brückenähnlichen Übergängen benannt, von denen sie bis ins 19. Jahrhundert überspannt wurde.

Autre scène biblique, à côté, dans la rue Unter den Schwibbögen. Ici c'est une baleine de fer forgé qui est en train d'avaler le prophète Jonas. Elle orne l'entrée de l'auberge «A La Baleine» qui existe depuis le 16e siècle. La rue doit son nom aux passages surélevés ressemblant à des ponts qui existaient encore au 19e siècle.

There is also a biblical element next door in the street "Unter den Schwibbögen", where a wrought-iron whale in the process of swallowing the prophet Jonah decorates the entrance of the tavern "Zum Walfisch", which has existed since the 16th century. The street is named after crosswalks similar to bridges that spanned it up to the 19th century.

Accanto, nella via Unter den Schwibbögen, prosegue l'atmosfera biblica: una balena in ferro battuto, che sta per ingoiare il profeta Giona, adorna l'ingresso della locanda "Zum Walfisch", che esiste dal 16° secolo. Il nome della strada deriva da passaggi simili a ponti che la attraversarono fino al 19° secolo.

Hier logierte einst Kaiser Napoleon I. Von 1802 bis 1810 diente die Residenz am Domplatz als Sitz des Fürstenprimas von Regensburg, Carl Theodor von Dahlberg. Im Frontspitz das prächtige stuckerne Wappen des Bauherrn Domprobst Joseph Carl Ignaz Graf von Lerchenfeld, der die Residenz 1800 errichten ließ.

L'empereur Napoléon Ier résida ici. De 1802 à 1810 c'était le siège du primat princier de Ratisbonne, Carl Theodor von Dahlberg. Sur le frontispice, le magnifique blason du prévôt du chapitre, Joseph Carl Ignaz, comte de Lerchenfeld qui fit construire cette résidence en 1800.

Emperor Napoleon I once lodged here. From 1802 to 1810 the residence at Domplatz served as the seat of the Elector-Prince of Regensburg, Carl Theodor von Dahlberg. In the frontispiece is the splendid stucco coat-of-arms of the owner, cathedral dean Joseph Carl Ignaz Graf von Lerchenfeld, who had the residence built in 1800.

Qui alloggiò una volta l'imperatore Napoleone I. Dal 1802 al 1810 la Residenz sulla Domplatz fu sede del primate di Ratisbona, Carl Theodor von Dahlberg. Sul frontale si possono ammirare magnifici stucchi raffiguranti lo stemma di Domprobst Joseph Carl Ignaz, Conte di Lerchenfeld, che fece erigere la residenza nel 1800.

Mehrfach geteilt und wiedervereinigt wurde dieses Gebäude am Dom, das heute aus dem Hotel Kaiserhof und dem Haus Heuport besteht. Der Name Heuport leitet sich aus Porta Foeni (Heu-Tor) ab. Hier am ehemaligen Heumarkt befand sich früher das Nordtor des jüdischen Ghettos.

Cet édifice fut plusieurs fois divisé puis réuni à nouveau. Aujourd'hui il est formé de l'hôtel Kaiserhof et de la maison Heuport. Le nom de Heuport vient de Porta Foeni (Heu Tor). Ici, sur l'ancien marché à foin se trouvait jadis la porte nord du ghetto juif.

This building at the cathedral was divided and reunified several times and now consists of the Hotel Kaiserhof and Haus Heuport. The name Heuport is derived from Porta Foeni (Hay Gate). The northern gate of the Jewish ghetto used to be located here at the former hay market (Heumarkt).

Questo edificio accanto al duomo, che oggi è formato dall'hotel Kaiserhof e dalla cassa Heuport, fu più volte diviso e riunito. Il nome Heuport deriva da Porta Foeni. Qui, dove una volta si teneva il mercato del fieno, si trovava la porta settentrionale del ghetto ebreo.

Nördlich des Doms erstreckt sich der Bischofshof, ein Gebäudegeviert, das seinen Ursprung im 13. Jahrhundert hat. Inzwischen dient es hauptsächlich als Gaststätte und Hotel. Im Südflügel ist in Räumen aus dem 14. Jahrhundert das Domschatzmuseum untergebracht. Im Nordflügel öffnet sich seit der Freilegung im Jahr 1887 wieder die römische Porta Praetoria (siehe S. 40).

Le Bischofshof est situé au nord de la cathédrale. C'est un carré d'édifices qui remonte au 13e siècle. Aujourd'hui il sert surtout de restaurant et d'hôtel. Le musée du trésor de la cathédrale a été aménagé dans l'aile sud, dans des salles du 14e siècle. L'aile nord comprend la Porta Praetoria (voir p. 40) depuis que celle-ci a été mise au jour en 1887.

Bischofshof, a square building complex originating from the 13th century, stretches out north of the cathedral. Now it primarily serves as a restaurant and hotel. The cathedral treasure museum is located in 14th century rooms in the south wing. The Roman Porta Praetoria in the north wing has been open since it was uncovered in 1887 (see p. 40).

A nord del duomo si estende la Bischofshof, un quadrilatero edifici che annovera le proprie origini nel 13° secolo. Attualmente è albergo e hotel. Nell'ala meridionale, in locali del 14° secolo, si trova il museo del tesoro del duomo. Nell'ala settentrionale, dalla liberazione avvenuta nel 1887, si pare l'antica Porta Praetoria romana (vedere p. 40).

Im Osten geht der Domplatz in den Alten Kornmarkt mit barocken Bürgerhäusern und dem Römerturm über, der auch Heidenturm genannt wird (links). Der mächtige Klotz mit einem quadratischen Grundriß von 14 Metern Länge und einer Höhe von 30 Metern bewacht den Kornmarkt seit dem 12. Jahrhundert.

A l'est, la Domplatz débouche sur l'Alter Kornmarkt avec ses maisons bourgeoises baroques et la Römerturm, appelée aussi Heidentum (à gauche). Ce puissant quadrilatère dont la base a 14 mètres de côté mesure 30 mètres de haut. Il monte la garde sur le Kornmarkt depuis le 12e siècle.

At the eastern end Domplatz is bordered by Alter Kornmarkt (Old Grain Market) with baroque town houses and the Roman Tower, which is also called the Heathen Tower (Heidenturm) (left). The massive structure with a square ground plan, measuring 14 meters in length and 30 meters in height, has been watching over the Grain Market since the 12th century.

A est la Domplatz raggiunge l'Alter Kornmarkt con case borghesi in stile barocco e la Römerturm, chiamata anche Heidenturm (a sinistra). L'imponente bastione con un perimetro quadro lungo 14 metri e una altezza di 30 metri custodisce la Kornmarkt dal 12° secolo.

Mit einem Schwibbogen ist der Römerturm mit dem Herzogshof verbunden. Das massive Gebäude am Alten Kornmarkt enthält ebenfalls Baureste aus dem 12. Jahrhundert. 1935 erwarb ihn die Post. Die Südseite des Platzes nimmt die Alte Kapelle mit dem Stiftsgebäude und der romanische Glockenturm ein.

La Römerturm est reliée à l'Herzogshof par un passage «Schwibbogen». Ce bâtiment massif sur l'Alter Kornmarkt contient, lui aussi, les restes d'une construction du 12e siècle. En 1935 il fut acquis par la poste. Le côté sud de la place est occupé par l'Alte Kapelle, les bâtiments collégiaux et le clocher roman.

The Roman Tower is connected to Herzogshof with a flying buttress. The massive edifice at Alter Kornmarkt also contains building remains dating from the 12th century. In 1935 the Post Office acquired it. The south side of the square is taken up by the Old Chapel with the home for the elderly and the Romanesque belfry.

Un arco unisce il Römerturm all'Herzogshof. L'edificio massiccio sulla Alter Kornplatz contiene anch'esso vestigia del 12° secolo. Nel 1935 fu acquistato dalla Posta. Il lato meridionale della piazza è occupato dalla Alte Kapelle con l'edificio della fondazione e la torre campanaria romanica.

Wohl eines der schönsten Hotels der Stadt ist das Park-hotel Maximilian. Von 1977 bis 1980 wurde der prunkvol-le Bau im Stil des Neurokkoko einschließlich der aufwen-digen Festsäle im Erdgeschoß liebevoll restauriert. Rechts das Johannes-Kepler-Denkmal an der Maximilianstraße. Es wurde 1808 an Keplers vermuteten Begräbnisort errichtet, 1859 allerdings im Zuge der Straßenverlänge-rung zum Bahnhof ein Stück seitlich versetzt.

Le Parkhotel Maximilian est l'un des plus beaux hôtels de la ville. Ce somptueux édifice fut restauré avec beaucoup de soins de 1977 à 1980 dans le style néo-rococo, y compris les luxueuses salles des fêtes du rez-de-chaussée. A droite, le monument de Johannes Kepler dans la Maxi-milianstraße. Il fut construit en 1808 sur l'emplacement présumé de la tombe de Kepler mais il fut déplacé un peu vers la gare en 1859, lorsque la rue fut rallongée.

One of the city's most beautiful hotels is the Parkhotel Maximilian. From 1977 to 1980 the magnificent edifice in neo-rococo style was lovingly restored, including the sumptuous banqueting halls on the ground floor. On the right the Johannes Kepler monument on Maximilian-strasse. It was built at what is presumed to be Kepler's burial site, but was moved a bit to the side in the course of extending the street to the railway station.

Uno degli hotel più belli della città sicuramente il Park-hotel Maximilian. Dal 1977 al 1980 lo sfarzoso edificio in stile rococò, comprese le pompose sale delle feste al piano terra, fu restaurato. A destra, sulla Maximilianstra-ße, si trova il monumento dedicato a Giovanni Keplero. Fu costruito nel 1808 sulla presunta tomba di Keplero, ma nel 1859, durante i lavori di allungamento della strada fino alla stazione, fu leggermente spostato.

Stolz blickt von einem Park an der Donau die neugotische Fassade der ehemaligen königlichen Villa, einst Sommerresidenz König Maximilian II, Richtung Dom. Von 1854 bis 1856 wurde die schloßähnliche Anlage mit ihren Galerien und Zinnen erbaut und stilvoll in eine großzügige Gartenanlage eingebunden.

De son parc, au bord du Danube, l'ancienne villa royale de style néo-gothique, jadis résidence d'été du roi Maximilian II, regarde fièrement vers la cathédrale. Avec ses galeries et ses créneaux elle ressemble à un château. Elle fut construite de 1854 à 1856 et intégrée avec beaucoup de style à un parc majestueux.

The neo-Gothic facade of the former royal villa, once the summer residence of King Maximilian II, gazes proudly from a park on the Danube towards the cathedral. From 1854 to 1856 the palace-like complex with its galleries and battlements was built and stylishly integrated into spacious garden grounds.

Da un parco sul Danubio si erge con orgoglio la facciata neogotica della ex villa reale, residenza estiva del re Massimiliano II, in direzione del duomo. La costruzione, simile a un castello, venne eretta dal 1854 al 1856, con le sue gallerie e i suoi laghetti e venne unita con molto stile a un giardino maestoso.

Kontraste fürs Auge bietet der Campus, der sich südlich der Altstadt auf rund 60 ha Fläche erstreckt: Die vierte Landesuniversität Bayerns nahm im Wintersemester 1967/68 mit natur- und geisteswissenschaftlichen Fakultäten den Lehrbetrieb auf.

Le campus est un contraste pour la vue. Il s'étend au sud de la vieille ville sur une surface de près de 60 ha. L'université d'Etat de Ratisbonne est la quatrième de Bavière. Elle ouvrit ses portes en 1967/68 avec les facultés de sciences naturelles et de lettres.

The campus that stretches across roughly 60 hectares south of the Old Town offers many contrasts for the eye of the viewer: Bavaria's fourth state uiversity started courses in the natural and social sciences in the winter semester of 1967/68.

Contrasti agli occhi offre il Campus, che si estende su una superficie di circa 60 ettari a sud del centro antico. Nel semestre invernale 1967/68 la quarta università della Baviera ha iniziato l'insegnamento con le facoltà di scienze naturali e morali.

Residenz der Römer

Ab 1245 war Regensburg freie Reichsstadt. Der Fernhandel mit Tuchen, Weinen und Edelmetallen blühte, Kaufmannsviertel und Vorstadtsiedlungen entlang der Donau dehnten sich immer weiter aus. Um sie zu sichern, mußte eine neue Stadtmauer her. Durch das Jakobstor aus dem frühen 14. Jahrhundert, von dem nur noch zwei Flankierungstürme zeugen, betrat man einst die Altstadt.

A partir de 1245 Ratisbonne devint une ville libre d'Empire. Le commerce des vins, des étoffes et des métaux précieux avec l'étranger était très florissant. Le quartier des marchands et les faubourgs le long du Danube s'étendaient toujours plus. Pour les protéger il

Beginning in 1245 Regensburg was a free city. Long-distance trade with cloth, wine and precious metals flourished while merchants' districts and suburban settlements along the Danube continued to expand. To safeguard them, a new city wall had to be built. One used to enter the Old Town through Jacob's Gate, dating from the 14th century, of which only two flanking towers remain.

A partire dal 1245 Ratisbona divenne libera città imperiale. Il commercio di tessuti, vini e metalli nobili fioriva, i sobborghi commerciali e gli insediamenti suburbani lungo il Danubio si estendevano sempre più. Per proteggersi, era necessario erigere altre mura. Attraverso

Überall begegnet man Relikten des römischen Legionärs-lagers „Castra Regina", das Kaiser Marc Aurel 179 n. Chr. an der Donau gründete. Es war für 6000 Soldaten gedacht und wurde die größte und einzige in massiver Werkstein-technik errichtete Wehranlage nördlich der Alpen.

One encounters relics of the Roman legionary camp "Castra Regina", founded by Emperor Marcus Aurelius on the Danube in 179 A.D., everywhere. It was designed for 6000 soldiers and became the largest and only fortifi-cations to be built with massive cut stone north of the Alps.

fallut construire un nouveau rempart. La Jakobstor du début du 14e siècle, dont seules deux tours latérales ont subsisté, défendait jadis l'entrée de la vieille ville. Partout dans la ville on trouve des vestiges du camp de légionnaires romains «Castra Regina», fondé par l'empereur Marc Aurèle en 179 après J.-C. sur le Danube. Il avait été conçu pour 6000 soldats. C'était le plus grand complexe défensif et le seul qui soit construit en blocs de pierre massifs, au nord des Alpes.

la Jakobstor del 14° secolo, di cui restano oggi solo due torri di fiancheggiamento, una volta si aveva accesso al centro storico.
Ovunque si incontrano resti dell'accampamento per legionari romani "Castra regina", fondato dall'Imperatore Marco Aurelio nel 179 d.C. sul Danubio. Era destinato a 6000 soldati e fu il più grande campo di difesa e l'unico in massicce pietre squadrate eretto a nord delle Alpi.

Regensburg war vermutlich als einzige Stadt in Bayern seit der Römerzeit ununterbrochen besiedelt. Die Porta Praetoria (oben), einst nördlicher Eingang zum Kastell, wurde im Mittelalter kurzerhand in die bischhöfliche Residenz miteinbezogen und diente bis ins 17. Jahrhundert als Zugang zur Innenstadt. Um 1300 errichtete man das Ostentor, ein Musterbeispiel gotischer Torbefestigung.

Ratisbonne est probablement la seule ville de Bavière à avoir été habitée sans interruption depuis l'époque romaine. La Porta Praetoria (ci-dessus), jadis porte nord du camp, fut tout simplement incorporée, au Moyen Age, à la résidence épiscopale et servait, jusqu'au 17e siècle, d'entrée au centre ville. Vers 1300 l'on construisit l'Ostentor, un modèle parmi les portes gothiques fortifiées.

Regensburg was probably the only city in Bavarian to remain populated without interruption since Roman times. Porta Praetoria (above), once the northern entrance to the fort, was incorporated into the bishop's residence without further ado during the Middle Ages and served as an access to the town center up to the 17th century. Around 1300 Ostentor was built, a prime example of Gothic gate fortifications.

Probabilmente Ratisbona fu l'unica città della Baviera a essere abitata ininterrottamente dal tempo dei Romani. La Porta Praetoria (in alto), una volta ingresso settentrionale del castello, fu incorporata nella residenza vescovile nel medioevo e, fino al 17° secolo, servì da accesso all'interno della città. Intorno al 1300 fu eretta la Ostentor, un esempio di fortificazione gotica.

Kirchen, Klöster, Kostbarkeiten

Der Dom St. Peter gilt als Hauptwerk der Gotik in Bayern. Zu seinen Schätzen gehören fünf steinerne Baldachin-Altäre aus dem 15. Jahrhundert (oben), der prunkvolle Hochaltar von 1785 und Glasmalereien, die größtenteils noch aus dem Mittelalter stammen. Er ist auch die Heimat eines berühmten Knabenchors: Die Stunde der „Regensburger Domspatzen" schlägt jeden Sonntag um neun beim Hochamt.

La cathédrale St. Peter est considérée comme la réalisation maîtresse du gothique en Bavière. Parmi les trésors qu'elle renferme il faut mentionner les cinq autels à baldaquins de pierre du 15e siècle (ci-dessus), le somptueux autel surélevé de 1785 et les peintures sur verre qui datent encore, en grande partie, du Moyen Age. Elle possède aussi une célèbre chorale de petits chanteurs: l'heure des «moineaux de la cathédrale de Ratisbonne» sonne chaque dimanche à neuf heure, à la grand-messe.

St. Peter's Cathedral is considered to be one of the major Gothic works in Bavaria. Its treasures include five stone baldachin altars dating from the 15th century (above), the splendid High Altar from 1785 and glass paintings, most of which date from the Middle Ages. It is also the home of a famous boys' choir: the moment for the "Regensburger Domspatzen" choir comes at High Mass every Sunday at nine o'clock.

Il duomo di San Pietro è considerato la principale opera di architettura gotica in Baviera. Tra i suoi tesori si annoverano cinque altari a baldacchino del 15° secolo in pietra (in alto), lo stupendo altare maggiore del 1785 e le vetrate, per la maggior parte del Medioevo. È anche la sede di un famoso coro di ragazzi: l'ora dei "passerotti di Ratisbona" risuona ogni domenica alle nove per la messa solenne.

Gold und Stuck beherrschen die Alte Kapelle am Alten Kornmarkt, die im 10. Jahrhundert als Pfalzkapelle von Ludwig dem Deutschen erbaut wurde. Im Innenraum eine Symphonie der Epochen: romanische „Beichtfigur" in der Vorhalle, gotische Kapellen, Malereien und Altar aus der Zeit des Rokoko.

L'or et le stuc triomphent dans l'Alte Kapelle sur l'Alter Kornmarkt. Elle fut construite au 10e siècle par Louis le Germanique comme chapelle palatine. A l'intérieur les différents styles se marient harmonieusement: «pénitents» romans dans le vestibule, chapelles gothiques, peintures et autel rococo.

Gold and stucco work dominate the Old Chapel at Alter Kornmarkt, which was built as the chapel palatine of Ludwig the German in the 10th century. The interior contains a symphony of epochs: Romanesque "confession figures" in the vestibule, Gothic chapels, paintings and an altar dating from the rococo period.

Oro e stucco dominano la Alte Kapelle, l'antica capella sulla Alter Kornplatz, eretta nel 10° secolo come capella regia da Lodovico il Tedesco. All'interno una sinfonia di epoche: figure romaniche di "penitenti" nell'ingresso, cappelle gotiche, dipinti e altare dell'epoca rococò.

St. Blasius aus dem 13. Jahrhundert zählt zu den frühesten Kirchen, die der Bettelorden der Dominikaner in Deutschland errichtete. Hier wirkte zwischen 1237 und 1240 der Theologe und spätere Bischof von Regensburg Albertus Magnus. Ihm ist auch die Kapelle südlich der Sakristei gewidmet.

St. Blasius, construite au 13e siècle par les Dominicains, est l'une des première églises de cet ordre mendiant en Allemagne. Albertus Magnus, théoloque puis évêque de Ratisbonne, y exerça son ministère entre 1237 et 1240. La chapelle au sud de la sacristie lui est également dédiée.

Sr. Blasius from the 13th century numbers among the earliest churches built by the mendicant order of the Dominicans in Germany. The chapel south of the sacristy is dedicated to the theologian and later bishop of Regensburg, Albertus Magnus, who worked here between 1237 and 1240.

St. Blasius del 13° secolo è una delle prime chiese erette dall'ordine mendicante dei Domenicani. Qui operò tra il 1237 e il 1240 il teologo e poli vescovo di Ratisbona Alberto Magno. A lui è dedicata anche la cappella a sud della sagrestia.

So schlicht, wie der gotische Bau der Heilig-Kreuz-Kirche von außen wirkt, so üppig zeigt sich seit Mitte des 18. Jahrhunderts sein Innenraum, der damals im Stil des Rokoko umgestaltet wurde. Das Dominikanerinnen-kloster wurde seit seiner Gründung 1233 nie aufgehoben und ist damit das älteste noch bestehende der Republik.

L'édifice gothique de l'Heilig-Kreuz-Kirche est d'une grande simplicité à l'extérieur. L'intérieur, au contraire, redécoré au milieu du 18e siècle dans le style rococo, est très exubérant. le monastère dominicain, fondé en 1233 ne fut jamais dissout, ce qui en fait le plus ancien monastère d'Allemagne qui soit encore en fonction.

Though plain on the outside, the Gothic Holy Cross Church has displayed a lavishly ornamented interior since the mid-18th century, when it was redesigned in rococo style. The Dominican convent has continued its activities since its founding in 1233 and is thus the oldest still existing one in Germany.

Tanto semplice è l'impressione che desta lo stile gotico della chiesa Heilig-Kreuz dall'esterno quanto rigoglioso appare il suo interno dalla metà del 18° secolo, allora trasformato in stile rococò. Il chiostro domenicano interno non è mai stato chiuso sin dai tempi della costruzione avvenuta nel 1233 ed è quindi il più vecchio chiostro esistente in Germania.

Wo einst die dritte italienische Legion ihr Lager auf-
geschlagen hatte, fanden später Herzöge und Bischöfe
ihre letzte Ruhe. Aus der Verehrung der Grabstätte des
Bischofs Erhard entwickelte sich ein adeliges Damenstift
– das reichste Reichsstift nach St. Emmeram. Das im 12.
Jahrhundert errichtete Niedermünster ist seit 1821 Dompfarrkirche.

C'est à l'endroit où la troisième légion italique avait établi
son camp que les ducs et les évêques ont trouvé leur
dernier repos. La vénération apportée à la tombe de
l'évêque Erhard est à l'origine d'un couvent de dames
nobles, le plus riche après St. Emmeram. Le Niedermünster, construit au 12e siècle est cathédrale et église
paroissiale depuis 1821.

Dukes and bishops were laid to rest at the site where the
third Italian legion once set up camp. A home for elderly
aristocratic ladies – the richest in the Empire after St.
Emmeram – came into being out of reverence for the
burial site of Bishop Erhard. The Niedermünster,
constructed in the 12th century, has been the cathedral
parish church since 1821.

Nell'area in cui un tempo si era accampata la terza
legione italica, hanno successivamente trovato la propria
ultima dimora principi e vescovi. Dalla venerazione della
tomba del vescovo Erhard sorse una nobile casa di riposo
per signore, la casa plù ricca dopo St. Emmeram. Il
Niedermünster, eretto nel 12° secolo, è chiesa parrocchiale
del duomo dal 1821.

Voller Rätsel steckt das figurenreiche Nordportal der „Schottenkirche" St. Jakob (oben). Die Basilika irischer Benediktiner aus dem 12. Jahrhundert, Mutterkloster aller

Le portail nord richement sculpté de l'église «écossaise» St. Jakob (ci-dessus), pose plus d'une énigme. Cette basilique fondée par des Bénédictins irlandais au 12e

The northern portal of the "Scottish Church" of St. Jacob (above), with its many figures, is surrounded by mystery. The basilica for Irish Benedictine friars dating from the

Pieno di misteri si estende il portale settentrionale della "chiesa scozzese" di St. Jakob (in alto). La basilica di monaci benedettini irlandesi del 12° secolo, il principale

irischen Klöster auf deutschem Boden, gehört zu den bedeutendsten hochromanischen Bauten Süddeutschlands. Inzwischen residiert hier das Priesterseminar.

siècle était la maison mère de tous les monastères irlandais sur le sol allemand. C'est l'un des édifices romans les plus importants d'Allemagne du Sud. Il sert à présent de séminaire.

12th century, the mother cloister of all Irish cloisters on Ger-man soil, numbers among the major High Romanesque edifices in southern Germany. Now the seminary is located here.

tra tutti i monasteri irlandesi sul territorio tedesco, è uno degli edifici tardo-romanici più importanti della Germania meridionale. Oggi è sede del seminario.

Im ehemaligen adeligen Damenstift Obermünster, dessen Basilika bei einem Luftangriff 1945 zerstört wurde, sind heute Bischöfliches Zentralarchiv und Zentralbibliothek untergebracht. Das Wirtschaftsgebäude wird vom Diözesanmuseum als Ausstellungsraum genutzt (links). St. Kassian (oben), eine der ältesten Kirchen Regensburgs aus dem 9. Jahrhundert, präsentiert sich barock, seit im 18. Jahrhundert Marienkult und Wallfahrten wieder in Mode kamen.

L'ancien couvent de dames nobles d'Obermünster dont la basilique fut détruite par un bombardement en 1945, accueille à présent les archives Centrales de l'Episcopat et la bibliothèque Centrale. Les salles d'exposition du musée Diocésain ont été aménagées dans les communs du couvent (à gauche). St. Kassian (ci-dessus), l'une des plus vieilles églises de Ratisbonne, date du 9e siècle. Elle a été baroquisée au 18e siècle, le culte de la Vierge et les pélerinages étant revenus à la mode.

Today the Central Diocesan Archives and Central Library are contained in the former Obermünster home for elderly aristocratic ladies, whose basilica was destroyed during an air raid in 1945. The working quarters are used by the Diocesan Museum as an exhibition room (left). St. Kassian (above), one of the oldest churches in Regensburg, dating from the 9th century, has presented a baroque appearance since the cult of the Virgin Mary and pilgrimages came into fashion again.

Nella ex casa di riposo per donne nobili chiamata Obermünster, la cui basilica fu distrutta nel 1945 durante un attacco aereo, si trovano oggi l'archivio vescovile centrale e la biblioteca centrale. Il fabbricato rurale viene utilizzato dal Diözesanmuseum, il museo diocesano, come sala di esposizione (a sinistra). St. Kassian (in alto), una delle più antiche chiese di Ratisbona del 9° secolo, si presenta con un aspetto barocco da quando, nel 18° secolo, assursero a nuova importanza il culto mariano e i pellegrinaggi.

Wo Museen verstecken spielen

St. Ulrich aus dem 13. Jahrhundert weckt Erinnerungen an Laon und Notre Dame in Paris. Doch hinter der Fassade der ehemaligen Dompfarrkirche findet längst kein Gottesdienst mehr statt. Ihr frühgotischer Emporenbau und Wandmalereien aus dem 16. Jahrhundert bieten seit 1986 einen würdevollen Rahmen für die Exponate

St. Ulrich qui date du 13e siècle, rapelle Laon et Notre Dame de Paris mais il y a longtemps que derrière la façade de l'ancienne cathédrale on ne célèbre plus la messe. Son haut édifice gothique et ses fresques du 16e siècle constituent un cadre merveilleux pour les expositions du musée Diocésain qui y a été aménagé

St. Ulrich from the 13th century brings back memories of Laon and Notre Dame in Paris. However, it has been a long time since services were held behind the facade of the former cathedral parish church. Since 1986 its early Gothic gallery construction and murals from the 16th century have offered a dignified setting for the exhibits of

St. Ulrich del 13° secolo ricorda Leon e Notre Dame di Parigi. Ma dietro la facciata dell'allora chiesa parrocchiale del duomo non viene più celebrata la messa. La costruzione matronea del primo gotico e gli affreschi del 16° secolo offrono, dal 1986, una degna cornice per le opere del Diözesanmuseum. Se la raccolta di arte

des Diözesanmuseums. Daß die Sammlung kirchlicher Kunst mit Skulpturen, Gemälden, Bronze- und Goldschmiedearbeiten hier überhaupt Einzug halten konnte, ist übrigens Ludwig I. zu verdanken: Der König persönlich hatte seinerzeit die Kirche vor dem Abbruch bewahrt.

en 1986. Le fait que ces collections d'art ecclésiastique comprenant des sculptures, des tableaux, des travaux d'orfèvrerie et de bronze aient été recueillis ici est dû à Louis Ier. Le roi était intervenu personnellement pour que l'église ne soit pas démolie.

the Diocesan Museum. By the way, it is thanks to Ludwig I that the collection of church art with sculptures, paintings, bronze and goldsmith work was able to be presented here in the first place: the king himself saved the church from demolition at that time.

religiosa con sculture, quadri, lavori in bronzo e ferro battuto ha potuto essere accolta in questo luogo si deve ringraziare Lodovico I: a suo tempo il re aveva personalmente protetto la chiesa dalla distruzione.

Mit dem Minoritenkloster aus dem 13. Jahrhundert ging die Geschichte nicht gerade zimperlich um: Abwechselnd gehörte es mal dem Orden, mal der evangelischen Reichsstadt. Seine Kirche St. Salvator wurde nach 1810 unter anderem als Mauthalle, Militärmagazin und Hotelgarage genutzt, später von Fliegerbomben schwer

Le monatère des Frères Mineurs, construit au 13e siècle, eut une histoire mouvementée: il appartint tantôt à l'ordre, tantôt à la ville d'Empire évangélique. Après 1810 son église St. Salvator fut utilisée, entre autres, comme halle de péage, entrepôt militaire et garage d'hôtel. Plus tard, elle fut gravement endommagée par les bombes.

History was not exactly gentle in its treatment of the 13th century Minorite cloister: it alternately belonged to the order, then to the Protestant free city. After 1810 its Church of St. Salvator was utilized as a toll building, military storeroom and hotel garage, among other things, and was later severely damaged by aerial bombs. Since

Con il monastero dei frati minori del 13° secolo la storia non è stata proprio così lineare: esso è appartenuto alternativamente all'ordine e alla città imperiale evangelica. La sua chiesa di St. Salvator, dopo il 1810 fu utilizzata anche come ufficio del dazio, magazzino militare e garage di hotel; successivamente fu gravemente

beschädigt. Seit den 30er Jahren hat das Kloster seine Bestimmung als Stadtmuseum gefunden, Kunst- und kulturgeschichtliche Sammlungen geben ein anschauliches Bild vom Regensburg der Römerzeit bis ins 19. Jahrhundert.

Depuis les années trente le monastère a trouvé sa vocation en devenant musée Municipal. Des collections sur l'histoire de l'art et de la culture de Ratisbonne donnent une image très claire du passé de cette ville, de la période romaine au 19e siècle.

the 30s the cloister has functioned as the Municipal Museum. Collections of art and cultural history provide a vivid picture of Regensburg from Roman times to the 19th century.

danneggiato dalle bombe volanti. Dagli anni Trenta il chiostro è diventato definitivamente museo cittadino, raccolte artistiche e culturali offrono un quadro vivo di Ratisbona dall'epoca dei romani al 19° secolo.

Auf einer Reise nach Linz sollte Regensburg zu seiner letzten Station werden: In diesem Haus starb nach kurzem Aufenthalt als Gast des Kaufmanns Hillebrand Billi 1630 der Mathematiker und Astronom Johannes Kepler. 1962 entstand hier mit Nachlaß, Originalinventar und -instrumenten des Wissenschaftlers ein Museum.

Il se rendait à Linz mais Ratisbonne fut sa dernière étape. C'est dans cette maison que mourut, en 1630, Johannes Kepler, mathématicien et astronome, après un court séjour chez son hôte, le marchand Hillebrand Billi. En 1962 un musée comprenant des objets et instruments ayant appartenu au mathématicien, lui fut dédié.

During a journey to Linz Regensburg was to be his last stop: after a short stay as a guest of merchant Hillebrand Billi, the mathematician and astronomer, Johannes Kepler, died in this house in 1630. A museum was set up here with the estate, original furniture and instruments of the scientist in 1962.

Durante il viaggio verso Linz Ratisbona deve essere stata la sua ultima sosta: in questa casa morì nel 1630, dopo breve soggiorno come ospite del commerciante Hillebrand Billi, il matematico e astronomo Giovanni Keplero. Nel 1962, con l'eredità e gil strumenti dello scienziato, sorse un museo.

Im „Leeren Beutel" wurde früher Korn gestapelt, heute Kunst. Der letzte große Getreidespeicher, den die Stadt um 1600 in Donaunähe errichtete, dient als Städtische Galerie und Filiale der Bayerischen Staatsgemälde-sammlung.

Jadis c'est le grain qu'on entassait dans le «Leeren Beutel», aujourd'hui ce sont les oeuvres d'art. Le dernier grand entrepôt à grain que la ville fit construire en 1600, près du Danube, sert de galerie Municipale. C'est une branche de la Collection de Tableaux d'Etat de Bavière.

In the past grain was stacked in the "Leerer Beutel" ("Empty Bag"), today art. The last big grain storehouse, built by the city near the Danube around 1600, serves as the Municipal Gallery and branch of the Bavarian State Painting Collection.

Nel "Leeren Beutel" (sacco vuoto) veniva prima conservato il grano, oggi l'arte. L'ultimo grande magazzino di cereali, eretto dalla città accanto al Danublo intorno al 1600, è oggi la galleria cittadina e filiale della Bayerische Staatsgemälde-sammlung, la raccolta di dipinti di stato della Baviera.

Wer durch den Stadtpark bummelt, kann die grüne Idylle genießen – oder sich unters Künstlervolk mischen. Lovis Corinth, Käthe Kollwitz, Otto Dix und Oskar Kokoschka gehören zu den Prominenten, die in der Ostdeutschen Galerie auf Bewunderer warten.

Qui se balade dans le parc Municipal peut jouir des idylliques frondaisons – ou se mêler à la gent artistique. Lovis Corinth, Käthe Kollwitz, Otto Dix et Oskar Kokoschka sont les plus éminents parmi les artistes qui attendent les admirateurs dans la Ostdeutsche Galerie.

Those who stroll through Stadtpark can enjoy this green idyll – or mix with artists. Lovis Corinth, Käthe Kollwitz, Otto Dix and Oskar Kokoschka are among the prominent personalities awaiting admirers in the East German Gallery.

Chi passeggia attraverso il parco cittadino, può godersi il verde idillio o mischiarsi tra il popolo di artisti. Lovis Corinth, Käthe Kollwitz, Otto Dix e Oskar Kokoschka sono i nomi eccellenti che attendono i visitatori alla Ostdeutsche Galerie.

Das Fürstenhaus Thurn und Taxis

St. Emmeram gilt als größter und wichtigster Kirchenbau Süddeutschlands aus frühkarolingischer und frühromanischer Zeit. Mit dem Grab des Hl. Emmeram (gest. um 685) bildete sie das Zentrum eines Benediktinerklosters, das über 1000 Jahre lang zu den mächtigsten Reichsabteien dieses Ordens in Bayern gehörte. Im Zuge der Säkularisation ging der gesamte Komplex der Emmeramskirche in den Besitz des Fürstenhauses Thurn und Taxis über und wurde zur Residenz ausgebaut.

St. Emmeram est considérée comme l'église la plus grande et la plus importante du début de la période carolingienne et de style roman primitif en Allemagne du Sud. Avec la tombe de saint Emmeram (mort en 685) elle constituait le centre d'un monastère bénédictin qui compta, pendant plus de 1000 ans, parmi les abbayes les plus puissantes de cet ordre en Bavière. Par suite de la sécularisation tout le complexe de l'église de St. Emmeram devint possession de la famille de Tour et Taxis et fut transformé en résidence.

St. Emmeram is considered to be the largest and most important church edifice in southern Germany, dating from the early Carolingian and early Romanesque period. With the grave of St. Emmeram (who died around 685) it formed the center of a Benedictine monastery that numbered among the most powerful abbeys of this order in Bavaria for over 1000 years. In the course of secularization the entire complex of the Emmeram Church became the property of the royal house of Thurn und Taxis and was rebuilt into a residence.

St. Emmeram è una delle chiese più grandi e importanti della Germania meridionale della prima epoca carolingia e del primo romanico. Con la tomba di Sant'Emmerano (morto intorno al 685) si formò il centro di un monastero benedettino che per oltre 1000 anni restò una delle principali abbazie imperiali di questo ordine in Baviera. Nel corso della secolarizzazione tutto il complesso della chiesa di St. Emmeram passò nella proprietà della dinastia Thurn und Taxis e fu trasformato in residenza.

Die Klosterkirche, in der karolingische und bayerische Herrscher ebenso ihre letzte Ruhe fanden wie Bischöfe, Äbte und Angehörige des Immerwährenden Reichstages, gilt als bayerisches Nationalheiligtum. Auch wegen ihrer Kunstschätze: Die Gebrüder Asam gaben ihr im 18. Jahrhundert barocken Schliff. Die Wandbilder schildern Wundertaten und Martyrium des Kirchenpatrons.

L'église du monastère dans laquelle reposent des souverains carolingiens et bavarois de même que des évêques, des abbés et des membres de la Diète perpétuelle est considérée comme lieu saint national bavarois et ceci à cause de ses trésors d'art également: les frères Asam la baroquisèrent au 18e siècle. Les peintures des murs relatent les miracles et le martyre du saint patron de cette église.

The monastery church, where Carolingian and Bavarian rulers as well as bishops, abbots and members of the "Immerwährender Reichstag" were laid to rest, is regarded as a Bavarian national shrine. Also because of its art treasures: the Asam brothers gave it a baroque touch in the 18th century. The murals display the miracles and martyrdom of the patron saint of the church.

La chiesa conventuale, in cui trovarono l'ultima dimora i signori carolingi e bavaresi, cosi come vescovi, abati e membri dell'"Immerwährender Reichstag", è ora tempio nazionale bavarese. Anche per i suoi tesori artistici: i fratelli Asam la barocchizzarono nel 18° secolo. Gli affreschi rappresentano i miracoli e il martirio del santo patrono della chiesa.

Architektonisches Glanzstück der weitläufigen Klosteran-
lage ist der gotische Kreuzgang. Außerdem sehenswert:
die Gruftkapelle von 1841, die romanische Klosterküche
und die Hofbibliothek, eine der wertvollsten Privat-
sammlungen der Welt.

Le cloître gothique est le coup d'éclat architectural de ce
vaste complexe. Il faut voir égelement la chapelle de la
crypte de 1841, la cuisine romane du monastère et la
Hofbibliothek, l'une des plus précieuses bibliothèques
privées du monde.

The architectural pièce de résistance of the extensive
monastery complex is the Gothic cloister. Also worth
seeing are: the crypt chapel dating from 1841, the
Romanesque monastery kitchen and the library, one of
the most valuable private collections in the world.

Gioiello architettonico del vasto monastero è l'incrocio
gotico. Molto interessanti sono inoltre la Gruftkapelle del
1841, la cucina romanica del monastero e la biblioteca,
una delle raccolte private più preziose del mondo.

Ohne den Unternehmergeist des Franz von Taxis wäre das Fürstenhaus nicht so prominent geworden. Denn er und seine aus Norditalien stammende Familie bauten im 16. Jahrhundert das Postwesen in West- und Mitteleuropa auf. Die anfänglichen regelmäßigen Postdienste zwischen Wien und Brüssel mündeten schließlich in das Exklusivrecht der Postbeförderung auf allen Reichsstraßen. Das

Sans l'ingéniosité de Franz von Taxis, cette famille princière ne serait jamais devenue aussi puissante. Il organisa en effet, au 16e siècle, avec sa famille originaire du nord de l'Italie, le système postal en Europe occidentale et centrale. Les premiers services postaux réguliers entre Vienne et Bruxelles finirent par devenir un droit exclusif de la poste sur toutes les routes de l'Empire.

Without the entrepreneurial spirit of Franz von Taxis the royal house would never have become so prominent. For it was he and his family from northern Italy who set up the postal system in western and central Europe during the 16th century. The first regular postal services between Vienna and Brussels finally led to the exclusive right to postal delivery on all roads of the Empire. The palace, the

Senza lo spirito imprenditoriale di Francesco von Taxis, la dinastia non sarebbe assurta a tanta importanza. Lui e la sua famiglia, proveniente dall'Italia settentrionale, costituirono nel 16° secolo l'organizzazione postale in Europa occidentale e centrale. I servizi postali, inizialmente regolari tra Vienna e Bruxelles, sfociarono infine nel diritto esclusivo del trasporto postale su tutte le

Schloß, seit 1812 prunkvolle Familienresidenz, gewährt heute auch Touristen einen Blick hinter die fürstlichen Kulissen.
Als 1931 mit Auflösung des Marstallamtes der Fahrbetrieb eingestellt wurde, zögerte Fürst Albert nicht. Er ließ die Wagen, Schlitten und Geschirre für ein Museum erhalten, das heute in der alten Reithalle untergebracht ist (oben). Zu den Attraktionen des Schlosses gehören der Spiegelsaal und der Grüne Salon mit dem Schwanenbett, den Leo von Klenze 1817 als Schlafzimmer für Fürstin Therese schuf (re. unten).

Le château, somptueuse résidence de la famille depuis 1812, est ouvert aux visiteurs qui peuvent ainsi jeter un coup d'oeil dans les coulisses princières.
Lorsqu'en 1931 l'écurie des moyens de locomotions fut dissoute, le prince Albert n'hésita pas. Il garda les voitures, les traîneaux et les harnais pour un musée qui est aujourd'hui aménagé dans le vieux manège (ci-dessus). Parmi les attractions du château il faut mentionner la salle des miroirs et le salon vert avec le «lit du cygne» que Leo von Klenze conçu en 1817 comme chambre à coucher pour la princesse Thérèse (en bas, à droite).

magnificent family residence since 1812, also allows tourists a look behind the royal scenes today.
When transport operations were discontinued after the royal stables were closed down in 1931, Prince Albert did not hesitate. He had the wagons, sleighs and harness gear set aside for a museum which is now located in the old riding hall (above). The palace's attractions include the Mirror Room and the Green Salon with the Swan Bed, which Leo von Klenze created as a bedroom for Princess Therese in 1817 (bottom right).

strade dell'impero. Il castello, sfarzosa residenza della famiglia dal 1812, concede oggi anche ai turisti uno sguardo dietro le quinte principesche.
Quando nel 1931 cessò il servizio di trasporti in seguito alla chiusura delle scuderie principesche, il principe Albero non ebbe alcuna esitazione. Lasciò carri, slitte e bardature per un museo, che ancora oggi si trova nella vecchia Reithalle (In alto). Tra le attrazioni del castello la sala degli specchi e il salone verde con il piumino di cigno, creato da Leo von Klenze nel 1817 come camera da letto per la principessa Teresa (in basso a destra).

Oasen am Donaurand

„Als wir jüngst in Regensburg waren, sind wir über den Strudel gefahren . . .". Wer dieses alte Volkslied für sich wahr machen möchte, kann tatsächlich an der Steinernen Brücke für eine „Strudelrundfahrt" an Bord gehen. Von März bis Oktober schippern die kleinen Ausflugsschiffe über die Donau – Erklärungen zu den Sehenswürdigkeiten am Ufer inklusive.

«Quand nous étions à Ratisbonne nous sommes passés au-dessus du tourbillon» dit la vieille chanson populaire. Qui voudrait faire de même peut prendre le bateau au Steinerne Brücke pour un «tour du tourbillon». De mars à octobre, les petits bateaux d'excusion promènent les visiteurs sur le Danube et donnent des explications sur les curiosités de la rive.

"While in Regensburg a short time ago, across the stream we did go . . .". Those who wish to make this old folk song come true can, in fact, get on board for a "tour on the stream" at the Stone Bridge. From March to October the small excursion boats sail across the Danube, providing explanations on the sights along the shore.

"Quando siamo stati a Ratisbona, siamo passati sopra il vortice . . ." Chi vuolo vivere questa vecchia canzone popolare, può fare veramente una "Strudelrundfahrt" (giro sul vortice) sul Danubio. Da marzo a ottobre le piccolo imbarcazioni navigano sul Danubio. Sono comprese le spiegazioni delle attrazioni interessanti.

Das ungewöhnlichste Museum der Stadt liegt seit 1983 am Donaukai vor Anker. Der frühere Schaufelraddampfer „Ruthof Érsekcsanád" pendelte seit den 20er Jahren zwischen Regensburg und Ungarn, bis er dort 1944 auf eine Mine lief und sank. Nach der Bergung diente er unter anderem als Kulisse für die „Sissi"-Filme. Heute erfahren Landratten hier Spannendes über die Geschichte der Donauschiffahrt.

Le musée le plus curieux de la ville est ancré depuis 1983 devant le quai du Danube. Cet ancien vapeur avec des roues à aubes, le «Ruthof/Érsekcsanád» fit la navette entre Ratisbonne et la Hongrie entre les années 20 et 1944, alors qu'il sauta sur une mine et coula. Après qu'il fut renfloué, il servit, entre autres, de décor dans le film «Sissi». Les «rats de terre» y apprennent aujourd'hui des choses passionnantes concernant la navigation sur le Danube.

The most unusual museum in the city has been lying at anchor at the Danube Quay since 1983. The paddlewheel steamer "Ruthof/Érsekcsanád" provided a shuttle service between Regensburg and Hungary beginning in the 20s, until it ran into a mine and sank. After being salvaged, it served, among other things, as part of the setting for the "Sissi" films. Today landlubbers can learn interesting things about the history of Danube shipping here.

Il museo più insolito della città si trova ancorato alla banchina del Danubio dal 1983. L'ex piroscafo a ruote a pale "Ruthof/Érsekcsanád" dagli anni Venti faceva la spola tra Ratisbona e l'Ungheria fino a quando, nel 1944, passò su una mina e affondò. Dopo il ricupero servì anche come sfondo per i film "Sissi". Oggi i terraioli apprendono notizie interessanti sulla storia della navigazione del Danubio.

Staunen statt streicheln: Dieser Bartagame wartet im Reptilienzoo auf Publikum. Wer sich neben Zoologie auch für Botanik und Mineralogie begeistert, findet im Naturkundemuseum Ostbayern so manche Anregung.

Admirer au lieu de caresser: cet iguane attend le public dans le zoo aux reptiles. Qui, en plus de la zoologie, se passionne pour la botanique et la minéralogie trouvera maintes choses intéressantes dans le musée de Sciences Naturelles de Bavière Orientale.

Gaze in amazement instead of petting: this agama in the reptile zoo is waiting for an audience. Those who are fascinated by botany and mineralogy in addition to zoology will find many things of interest in the East Bavarian Museum of Natural History.

Osservare invece di accarezzare: questo Bartagame attende il pubblico allo zoo dei rettili. Chi, oltre che della zoologia, si interessa anche di botanica e mineralogia, troverà sicuramente interessante il museo di scienze naturali della Baviera orientale.

Was für München das Oktoberfest, ist für Regensburg der Jahrmarkt – hierzulande Dult genannt. Jeweils im Frühjahr und im Herbst liegen am Europakanal der Duft von gebrannten Mandeln und das fröhliche Kreischen aus der Achterbahn in der Luft.

La foire de Dult est à Ratisbonne ce que l'Oktoberfest est à Munich. Au printemps et en automne, l'air autour de l'Europakanal est plein d'odeurs d'amandes grillées et du joyeux grincement des montagnes russes.

The fun-fair – called Dult in these parts – is for Regensburg what the Oktoberfest is for Munich. The odor of roasted almonds and the cheerful screaming from the roller coaster fills the air at Europakanal both in spring and in autumn.

Il mercato annuale, qui chiamato Dult, rappresenta per Ratisbona ciò che l'Oktoberfest significa per Monaco. In primavera e in autunno, sui canale d'Europa si diffonde nell'aria il profumo di mandorle scottate e le grida felici provenienti dall'ottovolante.

358 Treppenstufen hoch über der Donau erhebt sich bei Donaustauf die Walhalla (oben). Ludwig I. ließ sie 1842 als Ehrenhalle für „ruhmreiche Teutsche" im Stil des Pantheons errichten. 122 Büsten erinnern an Künstler, Politiker, Kriegsherren und Wissenschaftler. Zuletzt erwies man 1990 Albert Einstein die Ehre. Auch in Kelheim stand dem Bayernkönig der Sinn nach imposanter Architektur: Die Halle auf dem Michelsberg erinnert an die Befreiungskriege gegen Napoleon I.

Le Walhalla (ci-dessus), à Donaustauf, domine le Danube de ses 358 marches. Louis Ier le fit construire en 1842, dans le style du Panthéon, à la mémoire des «Allemands célèbres». On y voit 122 bustes d'artistes, de politiciens, de savants et de chefs d'armées. En 1990, Albert Einstein fut le dernier à recevoir cet honneur. A Kelheim, le roi de Bavière donna de nouveau libre cours à son goût de l'architecture monumentale: L'édifice du Michelsberg rappelle les guerres de libération contre Napoléon Ier.

Near Donaustauf the Walhalla (above) towers 358 steps high over the Danube. Ludwig I had it built as a hall of honor for "glorious Germans" in Pantheon style in 1842. 122 busts recall artists, politicians, military commanders and scientists. The last person to be honored here was Albert Einstein in 1990. In Kelheim, too, the Bavarian king had an inclination for imposing architecture: the hall on Michelsberg is dedicated to the wars of liberation against Napoleon I.

358 gradini sopra il Danubio, presso Donaustauf, si erge il Walhalla (in alto). Lodovico I lo fece costruire nel 1842 come tempio per i maggiori uomini di stirpe tedesca, secondo lo stile del Pantheon. 122 busti ricordano artisti, politici, eroi e scienziati. Nel 1990 fu concesso l'onore a Albert Einstein. Anche a Kelheim il re bavarese aveva in mente un'opera architettonica imponente: il monumento sul Michelsberg ricorda le guerre per l'indipendenza contro Napoleone I.

Die Abteikirche des Benediktinerklosters Weltenburg wurde 1736 vollendet. Sie zählt zu den Hauptwerken des europäischen Spätbarocks und trägt die Handschrift der Gebrüder Asam. Ihr Clou besteht in der ovalen Kuppel: Durch sie wird die prächtige Ausstattung in ein einzigartiges Licht gerückt.

L'église du monastère des Bénédictins de Weltenburg fut complétée en 1736. Elle compte parmi les principales réalisations du baroque tardif en Europe et porte la signature des frères Asam. Le clou de cet édifice est la coupole ovale: elle éclaire d'une lumière particulière le magnifique ameublement.

The abbey church of the Weltenburg Benedictine monastery was completed in 1736. Thus it numbers among the major works of the late European baroque period and bears the mark of the Asam brothers. Its highlight is the oval dome: through it the magnificent furnishings are placed in a unique light.

L'abbazia del monastero benedettino Weltenburg fu completata nel 1736. È una delle opere principali europee del tardo barocco e porta la firma dei fratelli Asam. Il fulcro dell'abbazia è la cupola ovale che getta una luce particolare sulla sontuosa chiesa.

„Die Gegend mußte eine Stadt herlocken", soll Goethe einmal über Regensburg gesagt haben. Die romantische Umgebung gefällt auch den Stadtkindern von heute. An heißen Sommertagen zieht's viele für eine Strand- oder Kahnpartie ans Wasser – wie hier am Donaudurchbruch bei Weltenburg.

«Cette région devait attirer une ville» aurait dit Goethe au sujet de Ratisbonne. Les environs romantiques de la ville plaisent encore aux citadins d'aujourd'hui. Par les chaudes journées d'été, beaucoup vont à la plage ou font du canot – comme ici, à la percée du Danube, près de Weltenburg.

"This region virtually invited the establishment of a city", as Goethe is once supposed to have said about Regensburg. The romantic surroundings also please the city's sons and daughters today. On hot summer days many are attracted to the water for a beach or boat outing – as here at the Danube rise near Weltenburg.

"La zona dovrebbe attirare una città" deve aver detto Goethe una volta riferendosi a Ratisbona. L'ambiente romantico piace anche ai bambini della città moderna. Nelle calde giornate estive molti si trovano per un incontro sulla spiaggia o un giro in barca, all'apertura del Danubio presso Weltenburg.

Chronik

179 n. Chr.
Kaiser Marc Aurel gründet römisches Legionärslager
739
Gründung des Bistums Regensburg durch den Hl. Bonifatius
ab 788
Karl der Große baut Regensburg zum fränkischen Herrschersitz aus
1145
Vollendung der „Steinernen Brücke" (galt als „achtes Weltwunder")
um 1200
Regensburg ist mit etwa 10.000 Einwohnern volkreichste Stadt Süddeutschlands
1245
Kaiser Friedrich II. macht Regensburg zur Freien Reichsstadt
um 1250
Beginn des Dombaus
1260-62
Albertus Magnus Bischof in Regensburg
1519
Vertreibung der Juden, Zerstörung des Ghettos
1542
Regensburg wird protestantisch
1630
Der Mathematiker Johannes Kepler stirbt in Regensburg
ab 1663
Regensburg ist bis 1806 Sitz des „Immerwährenden Reichstages"
1748
Fürst Alexander Ferdinand von Thurn und Taxis wird das erbliche Amt des Kaiserlichen Prinzipalkommissars verliehen (Vertreter beim Reichstag)
1805
Regensburg wird Erzbistum
1810
Eingliederung ins Königreich Bayern
1812
St. Emmeram wird Residenz des Fürstentums Thurn und Taxis
1859
Anschluß an die Eisenbahn
1869
Turmspitzen von St. Peter mehr als 600 Jahre nach Baubeginn des Domes nach Freiburger Vorbild vollendet
1924
Stadtamhof eingemeindet
1962
Gründung der Universität

Chronicle

179 A.D.
Emperor Marcus Aurelius founds Roman legionary camp
739
Founding of the diocese of Regensburg by St. Bonifatius
beginning in 788
Charlemagne turns Regensburg into a seat of Franconian rulers
1145
Completion of the "Stone Bridge" (regarded as "eighth wonder of the world")
around 1200
Regensburg is southern Germany's most populous city with roughly 10,000 inhabitants
1245
Kaiser Friedrich II makes Regensburg a free city of the Empire
around 1250
Beginning of construction of the cathedral
1260-62
Albertus Magnus is bishop in Regensburg
1519
Jews are driven out, ghetto is destroyed
1542
Regensburg becomes Protestant
1630
Mathematician Johannes Kepler dies in Regensburg
beginning in 1663
Regensburg is seat of "Immerwährender Reichstag" until 1806
1748
Prince Alexander Ferdinand von Thurn und Taxis is conferred the hereditary office of Principal Imperial Commissioner (representative in Reichstag)
1805
Regensburg becomes archdiocese
1810
Incorporation into kingdom of Bavaria
1812
St. Emmeram becomes residence of royal house of Thurn und Taxis
1859
Connection to railway network
1869
Spires of St. Peter's are completed more than 600 years after the beginning of construction of the cathedral according to Freiburg model
1924
Stadtamhof incorporated into city of Regensburg
1962
Founding of the university

Histoire

179 après J.-C.
Marc Aurèle fonde un camp de légions romaines
739
Saint Boniface fonde l'évêché de Ratisbonne
à partir de 788
Charlemagne fait de Ratisbonne l'un des centres du pouvoir franc
1145
Achèvement du «Pont de Pierre» (considéré la «huitième merveille» du monde)
vers 1200
Ratisbonne compte 10 000 habitants. C'est la ville la plus peuplée d'Allemagne du Sud
1245
L'empereur Frédéric II fait de Ratisbonne une ville libre d'Empire
vers 1250
Commencement de la construction de la cathédrale
1260-62
Albertus Magnus, évêque de Ratisbonne
1519
Bannissement des Juifs, destruction du ghetto
1542
Ratisbonne devient protestante
1630
Le mathématicien Johannes Kepler meurt à Ratisbonne
à partir de 1663
Ratisbonne devient le siège de la «Diète perpétuelle»
1748
Le prince Alexandre Ferdinand de Tour et Taxis reçoit la charge héréditaire de «commissaire principal d'Empire» (député à la Diète)
1805
Ratisbonne devient archevêché
1810
La ville est incorporée au royaume de Bavière
1812
St. Emmeram devient résidence de la famille de Tour et Taxis
1859
Rattachement au réseau de chemin de fer
1869
Près de 600 ans après le commencement de la construction de la cathédrale, les flèches des tours de St. Peter sont complétées d'après le modèle de Fribourg
1924
Stadtamhof est incoporé à la ville
1962
Fondation de l'université

Cronaca

179 d.C.
L'Imperatore Marco Aurelio fonda l'accampamento legionario romano
739
Fondazione del vescovado di Ratisbona da parte di San Bonifacio
dal 788
Carlo Magno fa di Ratisbona la sede del regno franco
1145
Completamento del "Steinerne Brücke" (considerato l'ottava meraviglia del mondo)
1200 circa
Ratisbona, con circa 10.000 abitanti, è la città più popolata della Germania meridionale
1245
L'imperatore Federico II trasforma Ratisbona in libera città imperiale
1250 circa
Inizio della costruzione del duomo
1260-62
Alberto Magno vescovo a Ratisbona
1519
Cacciata degli ebrei, distruzione del ghetto
1542
Ratisbona diventa protestante
1630
Il matematico Giovanni Keplero muore a Ratisbona
Dal 1663
Fino al 1806 Ratisbona è sede dell'"Immerwährender Reichstag", la Dieta permanente dell'Impero
1748
Il principe Alessandro Ferdinando di Thurn und Taxis riceve la carica ufficiale di Commissario imperiale principale (rappresentante presso la dieta)
1805
Ratisbona diventa arcivescovado
1810
Inserimento nel regno Baviera
1812
St. Emmeram diventa residenza della dinastia Thurn und Taxis
1859
Collegamento alla ferrovia
1869
Completamento delle torri di St. Peter dopo più di 600 anni dall'inizio della costruzione del duomo secondo il modello di Friburgo
1924
Incorporamento di Stadtamhof
1962
Fondazione dell'università